F时尚衡

时尚精油20款

Fashionable aroma oil

南海出版公司

目录
Contents

熏衣草 LAVENDER

Part 1

10大
入门精油

熏 衣 草

　　除了熏衣草外，再也没有其他的精油，更适合做为入门者的第一瓶精油了。事实上，它不只是第一瓶，也该是永远储备在身边的必备物。熏衣草精油的疗效卓著，身体与心灵的调节功能俱全，它能促进细胞再生、消肿、愈疤、去头痛、驱除蚊虫、做衣柜芳香剂等，可以说是用途最广的精油之王。

　　紫色花穗漫山遍野地盛开着，这就是日本北海道熏衣草花田盛开的模样。熏衣草静谧深邃的暗香，让人闻之松弛，无形中卸下心中的重担。

　　早期英国人将熏衣草花叶当作驱虫的植物放在衣柜里，故有"熏衣草"之名；罗马人则用熏衣草来清洗伤口、泡澡。在伊利莎白女王时代，人们便开始将熏衣草蒸馏出水，当成调整肌肤平衡的化妆水或香水使用。

LA VEN DER

LAVENDER 熏衣草 宁 静 梦 幻 舒 缓

清澈的淡淡花草香，
让人彷佛置身在山林中，
可以有效地缓和
疲劳的心灵，
对改善失眠与头痛
也很有效。

POINT
小妙方

1. 助眠法

将熏衣草精油4～5滴直接滴在枕巾或枕头布上，或是滴在化妆棉上置于枕头套底，最适合安抚紧张不安的情绪，平衡心境，进入深沉的梦境中。

2. 蚊虫咬伤、青春痘疤护理

将熏衣草精油滴在棉花棒上面，直接涂抹于患部，可以缓解发炎，帮助伤口愈合。

3. 克服压力的芳香浴

将熏衣草精油5～6滴，滴在浴缸中泡澡，可有效地释放压力，宽慰心灵的疲惫。

✳ INFORMATION 小档案 ✳

❖ 类别	镇定、抚慰、平衡
❖ 取材	花朵
❖ 精油颜色	浅黄色
❖ 味道	淡果香、草香
❖ 适合肤质	各种肤质
❖ 成分	熏衣草酯、沥牛儿酯、熏衣草醇、沉香醇、柠檬烯、松油帖、丁香油烃、丁酸酯、香豆素
❖ 推荐产地	法国普罗旺斯
❖ 价位	中等
❖ 心灵疗效	镇静、安神,治疗失眠症最佳精油
❖ 身体保健	消毒、愈疤、抗过敏、缓和肌肉疼痛,防老化
❖ 注意事项	可在专业人士的指导下,直接与肌肤接触,怀孕初期的妇女避免使用。
❖ 速配心情	独处的心情 睡前的心情 思考的心情 想找灵感的心情

LE
MON
CITRONELLA

LEMONCITRONELLA 柠檬香茅 躺 在 草 原 的 感 觉

带有柠檬的清香，
又有香茅草的激励气味，
可以使头脑清醒，重获活力
对于疲劳倦怠有提振的作用；
还有净化空气
除臭除虫的效果。

柠 檬 香 茅

柠檬香茅清爽、带有柠檬香气的草味，又称柠檬草，是高约90厘米的稻科植物，生长在印度与东南亚一带，因为具有抗感染的作用，在印度被拿来当作退烧与治疗喉咙痛的药物使用。

后来，东南亚一带的农人发现，有柠檬香茅的地方，不但能随风飘散出清凉的柠檬香，且它的驱虫效果更是一流。因为很少有防虫的植物如此清香，所以农人们纷纷在农作物间栽种些柠檬香茅，用来防虫害。

此外，柠檬香茅里面的"柠檬醛"也是经常拿来当作香水的成分，并且广泛地用于一般的洗发精、香皂中。

INFORMATION 小档案

类别	舒缓、头痛、清新
取材	叶
精油颜色	略呈金黄
味道	含有柠檬香味与草的清凉感
适合肤质	油性肌肤
成份	柠檬醛、澌牛儿醇、茴香醇、橙花醇、香茅油、杨梅烯
推荐产地	西班牙
价位	中等
心灵疗效	提振精神，消除精神疲劳
身体保健	纾解头痛，消暑，杀菌除臭、驱虫
注意事项	与基底油调制后，可直接与肌肤接触
速配心情	想要提振工作士气专心的心情

POINT 小妙方

1. 清洁除臭剂
将柠檬香茅精油10滴滴入装有约300ml水的喷头瓶中，用于室内的清洁除臭防虫堪称一绝，用来拖地还可以给室内带来柠檬般的香气。

2. 自制防蚊液
将柠檬香茅精油15滴滴入100ml的薰衣草花水（晶露）中，喷在身上，不但有如香水般的清香，还是很好的防蚊液，最适合夏天的户外活动使用。

3. 消除胃肠胀气
将柠檬香茅精油5滴混和5ml的基底油，用来按摩肚皮可以消除胃肠胀气。

葡萄柚 GRAPEFRUIT

葡 萄 柚

　　金黄色、亮澄澄的果实悬挂在树枝上，有如阳光般粒粒饱满，散发出似柑橘般的酸甜香气，给人以青春洋溢般的喜悦感受。

　　葡萄柚精油是由葡萄柚果皮蒸馏萃取而得，具有全面的提神效果，可以平衡沮丧的情绪，使人感到欢愉；在调节身体方面，葡萄柚精油因为含有丰富的维生素C，所以是很好的淋巴腺刺激剂，能活络皮下脂肪组织与体液，对于肥胖者与水份滞留者的代谢调理有很好的效果，常用于减肥去脂、消除橘皮组织的精油配方。很多人将它拿来按摩身体，视其为一种特效的减肥良方，不但能减少赘肉，还有助于紧实皮肤。

精油又一招 **Tips** 小贴士

精油是怎么来的

　　精油是由植物的根、茎、叶、花朵、果皮、果实中所提炼出的具有特殊芳香气味的油脂，实际上它们并不是"油"，而是一种挥发性很高的液体，在遇热或是日光照射时，很容易就被挥发、氧化。

　　一般植物中的精油含量其实相当少，往往需要很多的原材料才能提炼出一点点的精油，例如玫瑰精油，5吨的玫瑰花只能提炼出1升的精油，所以相当珍贵。

　　精油一般都是用深褐色的玻璃小瓶装，容量约10～15ml，深色瓶可以避光，避免精油氧化。因为精油极易挥发，所以装精油的瓶口都会加装一个塑胶小圆盖，使每一次倒出的量维持在1小滴（约0.05ml），避免挥发。

　　精油本身在植物中也扮演着重要的角色，可以说是植物的免疫系统。它存在植物的细胞壁外侧，当植物受到外界环境的破坏，如干旱、潮湿等异常的状况时，精油就会穿过细胞壁进入细胞中进行修复愈合的工作。

GRA PE FRUIT

GRAPEFRUIT

丰 收 的 喜 悦

葡萄柚

属于讨人喜欢的果味
略带酸甜的青春气息
可给人快乐的情绪

POINT
小妙方

1. 以5％比例的葡萄柚精油调和于葡萄籽油或甜杏仁油等基底油中（1 ml基底油＋1滴精油），制作成按摩油或身体滋润油，可以调理油性肌肤，具收敛美白的功效，也可帮助淋巴排毒。

2. 旅途中将已调和过的按摩油涂抹于耳后、人中、太阳穴两侧，可以迅速消除疲劳，舒缓头痛，给你快乐的好心情。

3. 参加考试、面试或有个演讲等紧张的活动时，心情总是七上八下，这时，用已调和好的葡萄柚精油按摩自己的后颈，或涂抹在人中部位吸入，立即便能拥有放松又有自信的心情。

✳ INFORMATION 小档案 ✳

✧ 类别	抗忧郁、恢复精神
✧ 取材	果皮
✧ 精油颜色	黄绿色
✧ 味道	和新鲜葡萄柚类似的柑橘香
✧ 适合肤质	各种肤质
✧ 成份	柠檬醛、澱牛儿醇、茴香醇、橙花醇、香茅油、杨梅烯
✧ 推荐产地	澳洲
✧ 价位	便宜
✧ 心灵疗效	消除沮丧，稳定紧张、不安、退缩的情绪
✧ 身体保健	能刺激淋巴循环，对肥胖与水份滞留有很好的排水作用，也是很好的开胃剂
✧ 注意事项	与基底油调制后可按摩肌肤，但使用后要避免阳光曝晒，以免造成皮肤对光敏感，引起色素沉着。
✧ 速配心情	想大吃一顿的心情 很想给自己放松的心情

SANDALWOOD

SANDALWOOD 檀香 补充能量净化心灵

过去常被宗教的寺院
拿来用做香环
充满着东方的神秘色彩
也是一个提升能量的气味
很适合冥想、静坐时使用

檀　香

檀香自古以来就是印度相当引以为傲的经济作物，这是一种常绿的半寄生木，将根部依附在别的树根上而生。能提炼檀香精油的檀香木，树龄最少要30年，好一点的则至少需要60年。

檀香具有深层灵性的甜甜木味，给人庄严肃穆的感受。檀香在印度一向被当作神殿中的熏香使用，镇静的香气最适合冥想时使用，它还可以缓和心烦气躁，让心灵的能量获得提升，是镇静神经、启发冥想最理想的精油。

檀香精油用于皮肤的按摩，可以使肌肤柔软；缓和发炎症状；香味甘甜持久，所以也常被当成香水中的原料之一；因为温暖且持久的香气具有催情的效果，所以它还可以提升性欲，改善性冷淡。

INFORMATION 小档案

类别	抗焦虑、镇静
取材	硬木地带
精油颜色	淡黄绿色至深棕色
味道	木质味的甜香
适合肤质	各种肌肤
成份	檀香醇、松烯、檀香酸、兆白檀酸、白檀酮
推荐产地	东印度
价位	略贵
心灵疗效	镇定情绪，平静呼吸，可得到自省与心灵能量的提升
身体保健	对生殖与泌尿系统有极佳帮助，能改善性冷淡与性无能，另外有抗痉挛的效果
注意事项	熏香，用于沮丧时，以免让情绪更消极
速配心情	虔诚平静与追求安定祥和的心情

POINT
小妙方

1. 将5 ml的基底油中滴入5滴檀香油，用来按摩肩颈，可以缓和整日的紧张与肌肉疲劳。

2. 用于按摩双脚，可以软化足部的硬皮，滋润粗糙的皮肤。

3. 将3～4滴的檀香精油直接滴入木制的随香瓶中，带在身上，有保平安与增加自信与安全感的作用。

迷迭香 ROSEMARY

迷 迭 香

　　迷迭香有着令人印象深刻的刺激性香味，让人一闻就能精神倍增，它直接对脑细胞发挥作用，有助于集中精神，增强记忆力。

　　迷迭香的原意是"海之朝露"，因为这种植物喜欢水份，大多生长在海岸线上，成为地中海沿岸的一道独特景观。在古希腊时代，将这种叶子与其他树叶一起熏香，有驱除恶灵、驱虫的效果。在古埃及时，就已发现它的防腐效果，因此用来做为尸体的防腐剂。

　　迷迭香精油对皮肤具有强烈的收敛效果，可用于松弛的肌肤，是有助于皮肤回春的精油。

精油　Tips小贴士
又一招

精油的神秘力量

　　就化学学理研究来看，精油有其不可忽视的神秘力量。

　　我们都知道，植物进行光合作用时吸收水分、土壤的养分以及二氧化碳，将其转化成生长所需的物质。然而，植物要形成精油，其中的酯类、醇类、醛类等，植物在合成时需要花上相当的"力气"才能产生。直到现在为止，化学家还是无法完全地分析出这些成分的化学结构，也就是说，像熏衣草的几个基本成分可以分析出来，化学家也可以合成类似熏衣草气味的人工香精，但是却永远也不能得到相同的疗效，这就是植物精油真正神奇的地方。

清新、具有穿透力
有一种干净，清爽的的感觉

ROSEMARY 迷迭香

ROS EM ARY

情 绪 的 强 心 剂

POINT

小妙方

1. 将1滴迷迭香精油 加入已 调和好的敷 面泥中敷脸，具有紧实肌肤与收缩毛孔的作用。

2. 在5 ml的基底 油中，滴入5滴迷迭 香精油，涂抹在人中与鼻 梁的两侧，可以用来改善鼻塞、鼻子过敏状况，让上课、工作、开车时更专心。

3. 将3~4滴迷迭香精油加入洗发精中洗头，可改善发质、防止掉发，并可改善头痛的现象。

4. 在浴缸中滴4~5滴迷迭香精油泡澡，可以消除肌肉酸痛与疲劳，在热毛巾上滴几滴迷迭香精油，用来局部热敷，对于跌打损伤的肌肉酸痛特别有效。

❉ INFORMATION 小档案 ❉

❖ 类别	增加记忆力、集中精神
❖ 取材	叶
❖ 精油颜色	微黄色
❖ 味道	樟脑木质味
❖ 适合肤质	油性肌肤
❖ 成份	樟脑、龙脑、松油帖、安油醇
❖ 推荐产地	西班牙
❖ 价位	中等
❖ 心灵疗效	具有提神与集中注意力的作用
❖ 身体保健	促进血液循环和舒缓疼痛；可减轻运动后的肌肉酸痛与风湿痛，也能缓和感冒症状
❖ 注意事项	不可直接与肌肤接触，怀孕的妇女避免使用
❖ 速配心情	积极学习的心情 全力以赴的心情

GERANIUM 天竺葵 多宠爱自己一点点

天竺葵在古老的时代
一直被视为可以驱除恶灵
是一种能量十足的香气
带有玫瑰花香的味道
可以使人的心情获得舒展

天 竺 葵

具有淡淡的玫瑰香，闻起来让人有被温暖包围的舒服与镇静，暖暖的味道给人一种粉红色的活力。

天竺葵是一种开花的植物，精油萃取自粉红色的花和锯齿状的尖叶，产自法国、西班牙、摩洛哥、意大利一带。

天竺葵最主要的功效在于促进血液循环，强化循环系统，使血液流通更顺畅。它也是一种多功效的精油，用途广泛不亚于薰衣草，从冻伤到发炎感染，到痔疮、止血都有效，也可以强化神经系统，抚平焦虑沮丧的情绪，还能缓和肾上腺皮质的分泌，纾解压力。

INFORMATION 小档案

类别	抚慰、抗焦虑
取材	花叶
精油颜色	黄色略带青绿
味道	温暖的花香味
适合肤质	各种肤质
成份	澨牛儿醇、香茅油、莞荽油醇、柠檬烯
推荐产地	法国、西班牙、摩洛哥
价位	中等
心灵疗效	具提振和兴奋与集中注意力的作用
身体保健	调节荷尔蒙，改善生理期障碍与更年期症候群，并适合乳房按摩，舒缓乳房之充血及发炎问题
注意事项	不可直接与肌肤接触怀孕三个月的妇女及一岁以内的婴幼儿避免使用
速配心情	浪漫但务实的心情

POINT 小妙方

1. 滴5~6滴天竺葵精油于浴缸中，可以促进血液循环，具有局部热身作用，可以改善冬天的手脚冰冷、与生理不顺的问题。

2. 将5滴天竺葵精油加入5 ml的基底油中，按摩下腹部可以缓和月经失调及经痛，也可用于荷尔蒙失调引起的更年期障碍。

3. 用已调和好天竺葵的按摩油按摩脸部，具有深层清洁与活化肌肤的作用，对于暗沉失去光泽的皮肤，可以使其展现活力与红润。

洋柑菊 CHAMOMILES

洋 柑 菊

　　洋柑菊的外型像极了经常在野地里可以看到的一簇簇白色的、有黄色花蕊的小雏菊。

　　洋柑菊的种类主要分为两种，一种是德国蓝柑，其蓝烃的成分较高，精油呈现湛蓝色，另一种是罗马洋柑，精油是饱和的绿色。两种精油都是取自洋柑菊的花端，但味道差距颇大，德国蓝柑的味道较淡，一般来说，除了疗效之外，不是很受欢迎；而罗马洋柑浓郁的花果香是花类精油难以比拟的，所以较受欢迎。因为其味道类似于苹果的甜香，所以它的名字在希腊文里又称为"地上的苹果"。

　　洋柑菊精油有镇定因神经紧绷所引起的疼痛，对安抚下背痛、神经抽痛、头痛、牙痛相当有效，也常用来缓和经痛与生理不顺等妇女问题。

　　洋柑菊精油在心灵上能够消除紧张、不安与焦虑的情绪，对神经质性的失眠症状有特别的镇定安眠作用。

精油 Tips 小贴士 又一招

如何调制按摩精油

　　100％的纯精油，是不能与皮肤直接接触的，以免刺激皮肤，通常需经过稀释后才可以用于按摩，所以，按摩精油就需要与其他的基础油混合后才能使用于皮肤上。按摩精油的浓度约为15％～20％，1ml精油约为20滴，也就是说1ml的基底油＋1滴精油即可，若是要调制60ml的按摩精油，约需要60滴的精油，用不完的精油可以装在小碟子里覆盖上锡箔纸，或装入深色的瓶子，并且封好盖子，在室温下保存，下次再使用。

　　＊注意事项：若是在白天使用精油按摩，过后一定要将皮肤上的油脂清洁干净，以免让过多油脂停留在皮肤上，遇到阳光中的紫外线容易造成油晒而使色素沉着，尤其是使用橙或是柠檬精油，因为这类果皮中的油脂遇光会造成色素沉着。

CHA MO MILES

CHAMOMILES

洋柑菊 抚平焦躁不安的灵魂

浓郁的花果香
几乎是花类精油难以比拟的
是一种
可以用来减轻心里负担
令人有幸福的味道

POINT
小妙方

1. 滴几滴罗马洋柑精油在枕头上，可以缓和神经紧绷型失眠，不但有释放压力的作用，还可以让自己有一个甜美的梦。

2. 将5～6滴洋柑菊精油滴在化妆水或乳液中来擦脸，有助于皮肤的抗菌保养与强化组织细胞，预防过敏，最适合敏感性肌肤使用。

3. 用化妆棉沾洋柑菊晶露，直接贴在眼皮上，可以缓和眼睛的疲劳，消除黑眼圈。

✳ INFORMATION 小档案 ✳

❖ 类别	镇定安抚松弛紧张
❖ 取材	花叶
❖ 精油颜色	绿色与蓝色两种
❖ 味道	似苹果般的甜味花香
❖ 适合肤质	各种肤质
❖ 成份	澎牛儿醇、香茅油、芜荽油醇、柠檬烯
❖ 推荐产地	罗马、德国
❖ 价位	中等
❖ 心灵疗效	具提振和兴奋与集中注意力的作用
❖ 身体保健	调节荷尔蒙，改善生理期障碍与更年期征候群，并适合乳房按摩、乳房之充血及发炎问题
❖ 注意事项	不可直接与肌肤接触 两到三个月的婴儿都可以使用
❖ 速配心情	浪漫但务实的心情

CYP RESS

CYPRESS 丝柏

一种非常锐利
刺鼻的香味
能够使脑中的杂念
得到排去
使内心得到开放

丝　　柏

清爽的木味，就像晨间的森林所散发出的干净清新的芬多精。丝柏是一种高大结球果的柏木，有着坚硬的树干，球果呈棕灰色，原产地为地中海、希腊半岛一带，被砍伐后，枝叶还可以活很久。丝柏木不易腐烂、且具有清爽的香气，所以早在古希腊时期人们就懂得用丝柏来建造庭院与墓园，以净化空气。

丝柏最主要的功效是，对血管有收缩的作用、阻止液体排出，所以有改善静脉曲张与抑汗的作用。若把丝柏拿来薰香，可用来治疗呼吸系统的疾病，减轻咳嗽与支气管炎。

在调节心灵方面，丝柏具有镇静的作用，对于容易狂喜狂悲、情绪焦躁者有缓和怒气、稳定情绪的作用。

INFORMATION 小档案

类别	收敛、抗痉挛
取材	叶片球果
精油颜色	无色到浅黄色
味道	烟熏木头香味
适合肤质	各种肤质
成份	松油帖、樟烯、伞花烃、桧醇、帖烯醇、樟脑
推荐产地	西班牙
价位	中等
心灵疗效	让人感到身处大自然的舒适与清新
身体保健	缓和咳嗽、气喘、支气管炎和喉咙痛。对肌肤具有收敛效果，并能抗橘皮组织及抑制过多体液，同时也具有驱虫的效果。
注意事项	高血压患者、孕妇及三岁以下的幼儿避免使用。
速配心情	爱好大自然的心情 清新健康的心情 神清气爽的心情

POINT
小妙方

1. 将5～6滴的丝柏精油滴入盛满温水的脸盆中，将臀部浸泡其中，可以缓和痔疮的疼痛与出血。

2. 在5 ml的基底油中滴入5滴丝柏精油，用来按摩疲劳的双腿，有收缩血管，防止静脉曲张的作用；用来按摩腋下与足部，可以改善狐臭与足下多汗的症状。

3. 直接用丝柏精油薰香，可减轻咳嗽、喉咙发炎、肿痛等症状。

杜松莓　JUNIPER BERRY

杜 松 莓

杜松是一种常绿的树木，树干略呈红色，细长的针叶，会开出黄色的花朵，并且结出蓝色或黑色的小果子。从杜松中提取的精油可分三种：一种是只取树干与枝叶部分提炼，效果最普通。另一种是连同果子与树干枝叶一起萃取，效果较好。效果最好的当然是杜松莓，只取浆果部分，又称杜松子。

杜松莓的味道类似柏木，但味道更香甜清新，能够消除疲劳，保持体力与提振神经系统。又因为其具有很好的利尿排毒效果，所以可用于治疗泌尿系统发炎、蜂窝组织炎等深部体液的炎症，但不可长期使用以免刺激肾脏，有肾脏病的人也不可使用。

精油 **Ti**p**s** 小贴士
又一招

最常用的组合精油

茶树油，虽然它的味道并不好闻，但却能与各种味道融合。一种另类的说法是：利用茶树油与其他精油的相容性，你可以拿其他味道宜人的精油当作包装，让茶树油借机发挥其强大的清洁功能，而不会太呛人。

在书房里的茶树，可以驱除蚊虫，如此既能降低你的图书文具被小虫虫啃食的厄运，也能让书房主人免受蚊虫侵袭。茶树油既然有这么多好处，你一定要记得在书房中常备一罐茶树精油喔！

JUNI PER BERRY

JUNIPER BERRY 杜松莓 清除体内囤积的毒素

能够将凝重低潮的感情
与内心的烦躁一扫而空
可以帮助及早摆脱忧郁的情绪
使人充满活力

POINT
小妙方

1. 在10 ml的基底油中加入10滴杜松莓精油，用来按摩皮肤，具有很好的杀菌抗炎效果，并且可以帮助排出体内废物。

2. 用调和好的杜松精油按摩关节，可有效地对抗风湿痛与骨关节炎。

3. 将杜松莓精油10滴，滴入扩香器中扩香，消除室内的异味效果一流，并有提振精神的功效，很适合书房与办公空间使用。

✳ INFORMATION 小档案 ✳

✤ 类别	愉快、消除疲劳、抗菌解毒
✤ 取材	果实
✤ 精油颜色	黄棕色
✤ 味道	松脂外加莓子的甜味
✤ 适合肤质	油性肌肤
✤ 成份	松油帖、杜松帖烯、雪松烯、龙脑、松油醇
✤ 推荐产地	印度
✤ 价位	略贵
✤ 心灵疗效	镇静和清爽
✤ 身体保健	利尿,缓解风湿不适和运动后肌肉疼痛;具有消毒及治疗面疱的作用
✤ 注意事项	不可长期使用,尤其是肾脏或体内发炎者、怀孕期与婴幼儿都要避免。
✤ 速配心情	积极工作的心情 全心学习的心情

Tea

TEA

杀 菌 清 洁 的 好 帮 手 —— 茶 树

由茶树叶中萃取
气味略微刺鼻
富有杀菌力
可以增强身体的抵抗力
有清醒的作用
用于皮肤
还可以平衡油脂的分泌

茶 树

茶树油洁净、无色、透明，有类似医药品的味道，主要的功用在于洁净与抗菌。

茶树产于澳洲，澳洲的原住民很早就发现茶树的叶子可以用来治疗一般的感染症或割伤。在二次世界大战时，茶树还被当成急救药物，用来救助伤患。

虽然茶树油没有什么迷人的香味，但它对于心情低落者，可使其很快地转换情绪，对于深受打击的心灵也有抚慰作用。

INFORMATION 小档案

类别	活化免疫系统
取材	叶
精油颜色	无色
味道	如尤加利精油味、很浓的药味
适合肤质	各种肤质
成份	松油帖、樟烯、伞花烃、桧醇、帖烯醇、樟脑
推荐产地	澳洲
价位	便宜
身体保健	使头脑清新，安抚受惊吓的心灵 协助并加强免疫系统，有强烈的抗病毒与杀菌效果。
注意事项	可直接与肌肤接触，是皮肤破、刀伤、割伤的克星。
速配心情	健康外向的心情 历经重大变化企求平静恢复的心情

POINT
小妙方

1. 蚊虫咬伤护理
对被蚊虫叮咬后出现的发痒红肿，可用茶树精油直接涂抹在皮肤上，能有效地消肿止痒。

2. 青春痘疤护理
将4～5滴茶树精油滴入脸盆中洗脸，可以治疗面疱及预防面疱的恶化。直接将茶树精油点在面疱或是疖、疣的部位，也有消肿杀菌的作用。

3. 克服压力的芳香浴
将5～6滴茶树精油滴入盛满温热的水盆中浸泡双脚，可以治疗香港脚及脚臭。

Rose 玫瑰

Part 2

Ten kind of beauty and slimming aroma oil

10大
美颜瘦身精油

玫　瑰

　　舒伯特的《野玫瑰》中形容玫瑰，"有如清晨般的清丽，它暖暖的后味带给人无限的爱与浪漫的遐想空间，让人有被爱环抱的幸福感"。

　　玫瑰精油可以说是精油之王，不但香味独特，最让人咋舌的的还是它那昂贵的身价，5吨玫瑰花瓣只能萃取出约972克精油，所以我们也不难想像为何玫瑰精油动辄要上万元了。玫瑰花一直以来都被视为爱情的象征，原产于保加利亚、摩洛哥、土耳其一带，经过不断的衍生配种，至今世界上已大约有两万多个品种。目前用于萃取精油比较知名的玫瑰有大马士革玫瑰、保加利亚玫瑰、土耳其玫瑰，其香味的同质性很高，但浓郁度与后劲都不同。土耳其玫瑰，一闻上去香味浓郁，越陈越香；保加利亚玫瑰，则是味道非常的沉，虽不如土耳其玫瑰浓郁，但后劲强；大马士革玫瑰的味道浓郁度则介于两者之间。这三种颜色的精油都是黄橘色，深浅有些微差距，但不脱原色。玫瑰最主要的功效在于通经、活血、化瘀，可强化子宫卵巢，使荷尔蒙分泌顺畅，也能强化神经系统，抚平焦虑沮丧的情绪，还能缓和肾上腺皮质的分泌，有纾解压力的作用。

真爱 是一种能量十足的香气，带有玫瑰花香的味道，
可以使人的心情获得舒展，平衡荷尔蒙分泌。

玫瑰 与唯美的化身

Rose

POINT
小妙方

1. 将5～6滴玫瑰精油滴于浴缸中，可以促进血液循环，改善荷尔蒙失调，对于生理不顺、更年期荷尔蒙分泌不足有调理的作用。

2. 将5滴玫瑰精油加入5ml的基底油中，按摩下腹部可以缓和痛经及调理经前征候群，也可用于荷尔蒙失调的更年期障碍。

3. 用已调和好的玫瑰按摩油按摩脸部，具有柔软肤质、保湿与抗皱的作用，对于老化及干性肌肤，可以有效调理肤质，让皮肤的新陈代谢活泼化。

✳ INFORMATION 小档案 ✳

✤ 类别	抚慰、温馨
✤ 取材	花瓣
✤ 精油颜色	黄色或橙黄色
✤ 味道	温暖饱满的玫瑰花香
✤ 适合肤质	各种肤质
✤ 成份	玫瑰醇、壬醛、橙花醇、丁香酚、金合欢醇、牛儿醇
✤ 推荐产地	保加利亚、土耳其、法国
✤ 价位	昂贵
✤ 心灵疗效	抚平情绪、舒缓紧张压力，给人一种满足的幸福感
✤ 身体保健	调节荷尔蒙，改善经前征候群与更年期征候群，帮助子宫卵巢的血液循环，对抗性冷感，用于皮肤保养有保湿、抗皱的功效。
✤ 注意事项	玫瑰的魅力无法抵挡，小心上瘾
✤ 速配心情	浪漫、甜蜜、幸福又可靠的心情

浪漫与清幽
茉莉 的活力

清雅又芬芳的花香，
不论是盛开的花朵、精油，还是中国人习惯制成的香片茶，
印度拿来抗癌防老的茉莉花茶，
都是香味独具，
具有适合激励自信的花香。

Jasmine

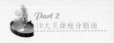
茉 莉

当一曲《茉莉花》伴随着《杜兰朵公主》的歌剧，在西方的歌剧院中大放异彩时，茉莉这种东方味十足的植物，也悄悄地在西方流行起来。茉莉是最早传到西方的一种植物，在西方人看来，茉莉相当具有东方清雅脱俗的气质。

茉莉的香味具有提振情绪，带来欢愉、助性、催情的作用，给人一种青春的活力，自古以来就是东方引以为傲的经济作物，它不但融入中国的饮茶文化，也是许多高级香水中少不了的原料之一。茉莉原产于亚洲一带，传到欧洲时，因土壤气候的不同，而有两种茉莉品种，其气味花型有些差异。

Jasminum sambac：原产于亚洲地区，在印度、中国、波斯一带盛产，花呈白色，花型较小，又被称为"小花茉莉"，气味芳香宜人，花期长，在亚洲常用来做茉莉花茶，在泰国则制成茉莉花环呈献神佛，市面上被称为阿拉伯茉莉的也属于此品种。

Jasminum officinale：由东方移植到西方，因为土壤、气候、纬度的不同，所生长出来的西方茉莉品种，民间虽俗称茉莉，但实属秀英花（J. offininale）。花呈白色，花型较大，主要产于法国、摩洛哥等地，气味较淡。

INFORMATION 小档案

类别	抗焦虑、提振情绪、催情
取材	花朵
精油颜色	深棕橘色
味道	暖暖清郁的花香，带有香片茶叶的后韵
适合肤质	各种肌肤
成份	茉莉花酮、α-松油醇、苯甲基醋酸、苯甲醇、吲哚(In dol)
推荐产地	中国、印度、阿拉伯
价位	昂贵
心灵疗效	舒缓焦虑、安抚神经、温暖情绪，增加自信、乐观，激发浪漫情绪
身体保健	对生殖系统有极佳帮助，能改善冷感与性无能，对于经前症候群有舒缓作用，对于经痛有抗痉挛的效果。
注意事项	扩香或薰香时，只要几滴就可以让你浪漫一整天，但不要使用过量。
速配心情	想恋爱的感觉，有种初恋时的会不知不觉微笑的心情，爱在朦胧美感期。

POINT 小妙方

1. 茉莉的味道清香迷人，稀释后涂抹于耳后、颈部、手腕、胸前当香水使用。闻其味道有助于安抚神经，使情绪获得抚慰，可增强自信心。

2. 用于下腹部的按摩，可改善经前征候群与温暖子宫卵巢，有助于改善因子宫血循不良所致的不孕与性冷感。

3. 用于乳房的按摩有美化胸型及丰胸的作用。

乳香
Fran-
kincense

乳　香

　　在中东阿拉伯一带，无论走进寺院还是市集，都不时可以闻到一股神秘的香味在空气中萦绕。其味道神秘而深沉，带有徐缓的甜蜜感，因此，乳香成为当地非常普遍且古老的香料，是古代各种祭典仪式上必备的香料之一，乳香在法文里面的意思就是焚香。

　　乳香是属于Boswellia的植物，在树干切出深的刻痕后，便会流出树胶和树脂凝固成乳状含蜡的颗粒物质，这种乳黄色的颗粒即是乳香，经过蒸馏即可得到乳香精油。

　　乳香的味道沉静香甜，有助于情绪的稳定，镇定焦躁不安的心灵，是一种非常适合用于冥想及静坐的精油。乳香在中国还是一味中药，具有镇咳、去痰、行气止血的功效，是呼吸道方面很好的杀菌剂。

精油又一招 Tips 小贴士

调理油脂分泌、收敛毛孔

　　既怕毛孔被撑大，又怕冒痘痘，油性皮肤可以说是最让人困扰的肌肤。不按摩怕皮肤新陈代谢差，常按摩又怕刺激，所以按摩油性皮肤时动作一定要轻柔，一次不可超过5分钟。

基底油：油性皮肤所使用的基底油分子要细，才容易被皮肤吸收，不会堵塞毛孔的葡萄籽油最适合。

魔法精油：

1. 丝柏、快乐鼠尾草精油：有效控油。

2. 薰衣草、杜松莓精油：改善皮肤新陈代谢。

魔法配方：葡萄籽油10 ml 加入丝柏、快乐鼠尾草精油各2滴，或薰衣草、杜松莓精油各3滴混和成按摩油。

乳香

乳香，是蒸馏自Boswellia carteri树脂，树种分布在中东及东北非一带的落叶乔木林中。乳香在古代主要是用于祭拜神明，在祭坛上焚香，其香味久久萦绕，使人心醉神驰。由于乳香具有很强的杀菌和防腐效果，所以是一种古老又高贵的香料。

气定神闲话乳香

Fran-
kincense

POINT
小妙方

1. 乳香4滴加入月见草油5ml中，按摩下腹部，可对付经血过多，经期过长的问题。

2. 乳香4滴+檀香5滴与基底油混和后按摩脸部，可以抚平脸上的细纹，改善皮肤的粗糙干涩状况。

3. 将乳香10滴滴入扩香器中，扩散的味道有安神作用，可用于自律神经失调者或无法排解压力者。

✳ INFORMATION 小档案 ✳

✛ 类别	抗烦躁·镇静、冥想
✛ 取材	树脂
✛ 精油颜色	淡黄色到深褐色
✛ 味道	香甜馥郁的木脂味
✛ 适合肤质	干性肌肤
✛ 成份	杜松帖烯、樟烯、苦艾帖、松油帖、水茴香帖、乳香醇。
✛ 推荐产地	阿拉伯·中东
✛ 价位	略贵
✛ 心灵疗效	安抚情绪，平静呼吸，可得到自省与心灵能量的提升。
✛ 身体保健	具有止血及抗黏膜感染的作用，并根据英国临床实验证实，口服乳香可对抗幽门螺旋杆菌所致的胃溃疡。其气味更能舒缓呼吸及心跳、对心悸、焦虑及自律神经失调有缓和的作用。
✛ 注意事项	熏香，避免用于沮丧时，以免让情绪更出世、更消极。
✛ 速配心情	远离尘嚣的平静与追求安定祥和的心情

橙花 清丽活泼的花之精灵

橙香一直以来被视为是属于贵族的香气。在西方早期，橙香流传于名媛淑女之间，用于裙摆及发梢，当作香水使用，并用于女性的皮肤保养。带有橙的陈郁花香，可以使人的心情愉快并让情绪安定。

Neroli

44

橙 花

细致苦甜的橘香中带有静谧的浓郁，却不若橘子般的轻浮单纯，而有着更深沉复杂的甘味，是一种闻了会让人感到幸福的味道。

橙花精油在早期欧洲，常被贵族名媛用来涂抹于发梢、裙摆之间当作香水使用，使她们走起路来香气弥漫、更添优雅风采，故橙香一直以来被视为是贵族的香气。

市面上的橙花精油有甜橙花与苦橙花之分，其中最珍贵的是"右旋柠檬烯"，苦橙花含量较甜橙花高，价格也比较昂贵。甜橙的气味甘甜浓郁，后劲强，感觉上会让人较轻快无压力；苦橙花气味徐缓深沉，带有甘味，也后劲十足，闻后会让人感到和缓放松。两者的气味虽略有不同，但是都属于橙类系列的衍生味道，可抑制交感神经过度兴奋所致的心跳加速、血压上升，可调节自律神经系统。

橙花精油是属于镇定、平衡的精油，可以消除神经紧张、烦躁、及释放压力，闻后可以让人放轻松，且有舒眠的效果。

INFORMATION 小档案

类别	安神、镇定神经、放松
取材	花瓣
精油颜色	橘黄色接近棕色
味道	带有橙的香甜，又有些淡淡的甘苦味
适合肤质	各种肤质
成份	酚乙酸、橙花醇、澄牛儿醇、芫荽脂、橙花脂、素馨酮、樟烯、柠檬烯、吲哚
推荐产地	法国、西班牙、摩洛哥
价位	昂贵
心灵疗效	抚平焦躁、沮丧，舒缓紧张压力，给人一种轻快愉悦的满足感
身体保健	镇定交感神经、预防心悸、放松情绪，对于沮丧缺乏自信者，可给予情绪的转换及舒眠的作用，用于皮肤保养有活化细胞、保湿、抗皱、防老的作用
注意事项	需要专心上班上课时避免使用，以免太放松而不够集中注意力
速配心情	甜蜜、轻快，想把一切烦恼不愉快都抛诸脑后的心情；想好好睡个觉。

POINT 小妙方

1. 将橙花精油6滴滴入浴缸中泡澡，可软化皮肤的角质，改善松弛的肌肤，对消除一天的紧张疲劳也很有帮助。

2. 橙花精油混和基底油，并与熏衣草、柠檬精油混和，可改善暗沉的皮肤、消除疤痕。

3. 将橙花精油直接滴在枕头上，可以改善多梦症状，减缓脑神经衰弱及沮丧所致的失眠，增强睡眠质量。

Part 2
10大美颜瘦身精油

柠檬

Lemon

柠　　檬

柠檬的香味清新香甜、新鲜强劲、轻快干净，柠檬精油是柑橘类精油中解毒、除臭功效最好的一种，也是许多香水工业常拿来当作定香剂的一种很好的香味来源。

柠檬因为极酸，所以很少有人直接吃，但它却是很好的抗菌解毒剂。我们在吃海鲜烧烤类食物时，旁边都会附上少许柠檬，淋过柠檬汁之后的海鲜是没有腥味的，这是因为柠檬酸可以将含氨的腥味给转化掉。

在十七、十八世纪的西班牙及葡萄牙等地，就已发现柠檬的解毒、除臭、抗菌效果，不但用它来作口腔的气味芳香剂，甚至还用来对付疟疾及伤寒。

柠檬精油不论产量还是用途，都是果类精油里的佼佼者，柠檬精油萃取果皮，采用冷压法压榨，其气味清香，可以提振精神，帮助澄清思绪、消除倦怠感，并具健胃、助消化的特性。因其富含维生素C、B族维生素，又具有天然果酸，对于皮肤上的斑点、细纹也有改善的作用，是美容圣品。

精油又一招 Tips 小贴士

滋润保湿活肤按摩油

干性肤质 通常皮肤较暗沉没光泽，天气冷时还容易脱皮，这种肤质的保养重点就在"保湿"，提高皮肤的含水量，让皮肤看起来水水嫩嫩有光泽。

基底油：保湿效果好，又可以在皮肤上形成保护层的甜杏仁油。

魔法精油：

1. 乳香精油：促进皮肤自然的油脂分泌。

2. 玫瑰、胡萝卜籽 精油，适合干燥型皮肤，可促进细胞活化新生，防止细纹。

魔法配方：甜杏仁油10ml 加入玫瑰 精油4滴、胡萝卜籽精油3滴、乳香精油2滴混和成按摩油。

Lemon

清 新 活 力 有 朝 气　柠檬

柠檬的酸性及清香的果味，是很好的室内清净与抗菌气味，
不但常用作室内芳香剂或是香水定香剂的材料，
对于肉类食物的抗菌效果更是一流。
因所含的维生素C丰富，也成为皮肤保养的明星产物。

POINT
小妙方

1. 柠檬精油2滴加入200ml的清水中漱口，可以消除口中异味及预防口腔黏膜的感染。

2. 柠檬精油与基底油混和后适用于油性肌肤、毛孔粗大的调理。

3. 将柠檬精油2滴滴入洗脸盆中，浸泡洗好的头发，约5～10分钟后直接用毛巾擦干，不但可以减少头皮屑，更有护发柔顺发丝的效果，当然还可以让头发充满柠檬的清香，一举数得！

✳ INFORMATION 小档案 ✳

✜ 类别	清新、彻底的清香
✜ 取材	果皮
✜ 精油颜色	淡黄色
✜ 味道	香气酸甜清新，具有净化空气的穿透力
✜ 适合肤质	油性暗沉肤质
✜ 成份	柠檬烯、柠檬醛、香茅醛、杨梅烯、樟烯、水茴香帖、杜松帖烯
✜ 推荐产地	意大利、西班牙、摩洛哥
✜ 价位	中等
✜ 心灵疗效	对抗烦躁、沮丧，可激励士气，给人一种提振及积极的人生态度
✜ 身体保健	可刺激白血球，增强免疫力，对于一般的感染及感冒所致的喉咙痛、咳嗽有舒缓及抗菌的作用。用于皮肤保养，有去角质、有改善皮肤暗沉，及美白的功效。
✜ 注意事项	与基底油混合后用于皮肤，需采低剂量。避免白天使用于皮肤按摩。
✜ 速配心情	专心、积极、有自信自己可以做得更好。

Melissa

香蜂草 鼓舞身心机能

清澈的淡淡花草香，让人彷佛置身在山林中，可以有效地缓和疲劳的心灵，对抗失眠与头痛也很有效

香 蜂 草

香蜂草是欧洲一带相当知名的草，经常被人种植在家中的前后院，大约每年六七月开出白色的小花，因为这种花能吸引蜜蜂，所以又称为"蜜蜂花"。因为香蜂草整株植物，包括花、叶、茎都能散发出柠檬般甜蜜又清新的香气，所以又名"柠檬香脂"。

香蜂草叶子是绿色的，叶面有毛，边缘呈现锯齿状，用手指搓揉一下叶片即可在指间留下柠檬香气，许多餐厅常拿来当作装饰饮料或蛋糕的香草，既美观且风味佳。

因为香蜂草的气味具有镇静并使人愉悦振奋的效果，在情绪方面最主要被用于心脏与神经系统的协调，可用于对付忧郁症及焦虑等所致的身心症与自律神经失调。

在早期欧洲，更发现它不但是一种情绪的兴奋剂，更是一种良好的女性调经药，可以缓和经前及经期的腹部痉挛，提高女性荷尔蒙分泌，对于更年期的妇女有安抚及改善更年期症候群的作用。

INFORMATION 小档案

类别	提振、愉悦
取材	叶
精油颜色	浅黄色
味道	淡果香、草香
适合肤质	各种肤质
成份	香茅酸、香茅醇、滤牛儿醇、柠檬醛、相茅醛、丁香油烃
推荐产地	西班牙、法国
价位	中等
心灵疗效	镇静、安神、治疗失眠症最佳精油
身体保健	规律经期、舒缓经痛、舒缓胸中的郁闷及心悸。按摩胸部还有意想不到的丰胸效果
注意事项	敏感性肌肤使用时必须采低剂量
速配心情	初恋的甜蜜、愉悦感、只单纯的享受快乐、不想太多

POINT

小妙方

1. 香蜂草与基底油混和，按摩下腹部，可以使经期更有规律，改善经前症候群。

2. 用香蜂草精油扩香有助于提振士气，消除胸中郁闷，转化敏感的情绪，并能安抚心悸与呼吸急促。

3. 将香蜂草精油滴入洗脸盆中，以拧干的毛巾敷在脸上，借由香气的吸入，可以改善感冒、失眠所带来的头痛及偏头痛。

佛手柑

佛 手 柑

佛手柑虽属于柑橘类，但其味道较深郁，是一种会让人感到快乐的气味；对心灵方面的疗效，佛手柑可说是一种情绪万灵丹，不但可消除焦虑、紧绷神经，还可有效释放压力，对抗烦躁。佛手柑精油是来自一种苦橙树的果皮，这种树原产于印度，所以有佛手柑的名称，现在在中国与意大利都有这种树。佛手柑精油的效能则依产地不同而有所变化，而在味道与成分上也有些差异。

在国际市场上，真正的佛手柑精油产量极少，意大利的佛手柑，实则是贝佳蜜柑。这种品种的产量较多，其成分中含乙酸芳樟脂，柠檬烯、松油醇等；中国的佛手柑，味道甜中带些微甘，里面含有橙花醇、柠檬脑、柠檬醛、柠檬醇与帖烯类等。在中国古代的中药典籍里很早就将之列为呼吸道方面疾病的用药，依据《本草纲目》记载：佛手柑味略苦、酸、温，入肝、脾、胃、肺经，有疏肝理气、燥湿化痰的作用，可用于治疗情绪郁闷及咳嗽胸闷。佛手柑在芳疗上，具有杀菌效果，其功效不亚于熏衣草，可对抗室内的尘螨；缓解过敏性鼻炎及小儿气喘。放在室内扩香，不但可以让人感到轻松快乐，还有净化空气，预防病毒传播的效果；用于皮肤按摩，对于油性皮肤很有帮助，可以平衡油性肤质的皮脂腺分泌。

精油又一招 Tips 小贴士

平衡保湿按摩油

T字部位油油的，而两颊却干干的，这种混合性皮肤最麻烦。如果整个脸用同一种保养品，容易顾此失彼，照顾到T字部位就会让两颊干到脱皮发红，照顾到两颊又会让T字部位猛冒痘痘。

基底油：保湿效果好，又易于吸收，不会对皮肤造成负担的葡萄籽油+荷荷芭油。

魔法精油：

1. 檀香精油：适合干性及油性肌肤。

2. 橙花精油：具有收敛和防止水份散失的作用，可收敛出油部位，并对干性部位有保湿功能。

魔法配方：葡萄籽油和荷荷芭油各5ml调匀，加入檀香、橙花精油各5滴混和成按摩油。

舒肝理气
佛手柑 和胃化痰

佛手柑的气味带有橙的快乐、甜美，又带些陈皮般的苦味，
可以纾解胸中郁闷之气，
所以被认为是最具心理疗效的精油。

Berga

POINT
小妙方

1. 佛手柑精油与基底油混和，按摩脸部，可以改善脸部的痤疮、青春痘及避免痤疮杆菌的蔓延，预防青春痘再发。

2. 用佛手柑精油扩香，可以调节情绪，适合白天工作时使用，有助于提升正面积极的情绪。

✳ INFORMATION 小档案 ✳

✛ 类别	果类
✛ 取材	果皮
✛ 精油颜色	黄绿色
✛ 味道	为甘苦的柑橘味
✛ 适合肤质	油性老化肤质
✛ 成份	佛手柑素、乙酸芳樟酯、香柑油内酯、右旋柠檬烯、松油醇、芳樟醇
✛ 推荐产地	意大利、摩洛哥、中国
✛ 价位	中等
✛ 心灵疗效	对于焦躁不安的情绪有安抚的作用，给人以快乐积极的人生观
✛ 身体保健	有助于呼吸道疾病炎症的缓解，对于过敏性支气管炎及感冒所致的喉咙痛、咳嗽有舒缓的作用。用于皮肤保养有预防青春痘、维持皮肤弱酸性的作用
✛ 注意事项	避免白天使用于皮肤按摩
✛ 速配心情	沮丧、对未来茫然怀疑者，可提供积极、自信的心理状态

ed

具有全方位
的
美颜抗老特效

胡萝卜籽油可以增加红血球的数目，
增强器官的机能与活力，也有助于改善贫血。
又因为富含 β-胡萝卜素，
不但对于肝脏有解毒功效，
还可对抗自由基、抗氧化，
是皱纹与衰老的克星。

胡 萝 卜 籽

胡萝卜籽精油蒸馏自胡萝卜的种子，其味道具有胡萝卜根的微甜香气，色泽偏黄。

胡萝卜籽含有丰富的 β-胡萝卜素，是维生素A的前驱物质，对肝脏有滋补的作用，可促进细胞生长，增强身体的免疫力，保护皮肤、毛发、牙龈的健康。胡萝卜籽还含有丰富的维生素B₁、B₂、C，是维系皮肤黏膜组织健康的关键营养物质，可保护皮肤健康，促进皮肤新陈代谢，保持皮肤光泽弹性。加入基底油后按摩皮肤，可预防皮肤干燥、皱纹及老化，修复皮肤组织的创伤，帮助淡化疤痕。

法国早在16世纪就将胡萝卜籽当作医疗处方，用于健胃、解肝毒，并且将胡萝卜籽磨碎后直接涂抹于伤口溃烂处，可以帮助伤口愈合，还是治疗肝脏、肺部疾病、皮肤过敏、肠胃炎的良药。

INFORMATION 小档案

• 类别	香料类
• 取材	种子
• 精油颜色	褐黄色
• 味道	胡萝卜根的甜味
• 适合肤质	任何干油性及老化肤质
• 成份	醋酸、胡萝卜醇、细辛脑、柠檬烯、松油帖
• 推荐产地	法国、摩洛哥
• 价位	昂贵
• 心灵疗效	纾解压力、沉静浮动的心绪
• 身体保健	由于富含的 β-胡萝卜素可转化为维生素A，因此对皮肤毛发牙龈的健康滋养甚佳。能帮助皮肤对抗紫外线与自由基的侵害。促进表皮细胞新生，帮助伤口愈合，改善皮肤暗沉状态，有美白、淡化斑点的功效
• 注意事项	与基底油混合后用于皮肤
• 速配心情	踏实、认真

POINT
小妙方

1. 胡萝卜籽油5滴＋甜橙花油2滴＋乳香油3滴＋甜杏仁油3滴，可预防皮肤干涩及日晒后的细纹，改善皮肤暗沉、斑点。

2. 将胡萝卜籽油加入晶露或乳霜中，对于皮肤的保湿抗皱有很好的效果。

3. 将胡萝卜籽油＋茴香与基底油稀释后，按摩肚脐周围，可以缓和腹泻及肠绞痛的症状。

Angelica 欧白芷

欧 白 芷

欧白芷即当归，多年生草本植物，在东西方都是知名的草药。

当归大多生长在寒冷干爽的地区，只能长到1.5～2厘米高，其种子、根、茎、叶都具有浓郁的药草味。欧洲的当归盛产于北欧及俄罗斯一代，中国当归则盛产于大陆东北方。

因为具有滋补及增强免疫力的功效，当归自古就是很名贵的药材，其叶片、种子、根茎都有健胃、消除胃肠胀气、化痰、补身的功效；对于女性来说，还可作为调经理带，促进生殖系统的血液循环的滋补剂。在东方，当归也一直被当作四物汤、十全大补汤的药材之一，可见其温润滋补的效益。

除此之外，当归也可以对抗病毒感染。15世纪欧洲瘟疫大流行时，当归就曾被用来对抗传染，由此可见其增强免疫力的功效。

精油又一招 Tips 小贴士

活肤保养按摩油

拥有中性肌肤的人是最幸运的一群，但也不要因此就忽略该有的保养哦！不时地通宵熬夜、吃太多人工调味料的食物都会让你的皮肤偶尔闹闹情绪的！

基底油：选择吸收好又有一定的保湿程度的精油，如荷荷芭油。

魔法精油：

1.天竺葵精油：有效促进皮肤血液循环。

2.橙花、熏衣草精油：促进表皮细胞新生。

魔法配方：荷荷芭油10 ml加入茉莉精油2滴、熏衣草精油3滴、橙花精油3滴混合成按摩油。

活血通经的滋补圣品 欧白芷

欧白芷又名当归，在增强人体免疫力上有卓越的效果。

自古以来在东西方，均被视为一种抗虚弱的滋补良药，对因消化及生殖系统的疾病所引起的体虚、体寒疗效显著。

POINT
小妙方

1. 将欧白芷3滴滴入洗脸盆中，用来清洗脸部及眼睛，可以预防皮肤及眼睛感染及干燥，并帮助伤口愈合。

2. 欧白芷与基底油混和，按摩下腹部，有助于促进子宫卵巢的血液循还，预防经前症候群及更年期障碍。

3. 将欧白芷精油与基底油混和，按摩胸口及后颈部，可以缓和感冒虚寒的症状。

✳ INFORMATION 小档案 ✳

类别	浓烈的药草香
取材	根、种子
精油颜色	接近黄色
味道	甘甜带有药草味
适合肤质	各种肤质
成份	欧白芷酸、糖份、杰草酸、苦素、香豆素、柠檬烯
推荐产地	北欧、中国
价位	昂贵
心灵疗效	纾解压力、沉静浮动的心
身体保健	具有通经、清血的作用，有助于改善经前征候群与更年期的症状。用于按摩可以缓和消化不良及胃肠胀气，肠胃绞痛的情况
注意事项	按摩后避免日晒，以免造成皮肤斑点
速配心情	抚慰受创的身心，怕冷体虚，需要找点精神良药来提神时

植物油中的奇葩

月見草

月见草又名晚樱草，
因为含有大量的 γ-亚麻油酸（GLA），
是植物油中最早被用在医疗上的，
对异位性皮肤炎、湿疹性的皮肤有特别的疗效。
所以主要用于皮肤按摩。

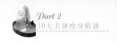

月 见 草

月见草的学名为*Denthersteraptera*，原产于墨西哥和中美洲地区。因为这种植物在傍晚开花白天凋谢，所以又名"Evening Primrose oil"，也有人翻译为"晚樱草"。

月见草油含有大量的必需脂肪酸γ-亚麻油酸（GLA），其活性比亚麻油酸高了十几倍。最早利用月见草来治疗的疾病是多发性硬化症、异位性皮肤炎、风湿性关节炎。

印地安人在数百年前就已发现月见草的医疗价值，因此将整棵的月见草浸泡在温水中，制成糊状的膏药来治疗瘀伤，或敷于皮肤表面来治疗皮肤的外伤与皮肤炎。18世纪时，英国载运棉花的船只将月见草种子夹带到英国，于是欧洲开始将月见草的功效发扬光大。许多科学家、医师纷纷投入月见草的研究。

在中医上，则将月见草制成草药来治疗肠胃病症、气喘、咳嗽、伤口的愈合及妇科疾病。其所富含的γ-亚麻油酸及亚麻油酸可扩张血管，促进血液循环及调理荷尔蒙，除能减轻女性生理期的不顺与痛经外，还可改善更年期障碍，适用于局部涂抹或是口服。

Evening
Primrose oil

✳ INFORMATION 小档案 ✳

✢ 类别	鱼腥草味
✢ 取材	草、根
✢ 精油颜色	接近黄绿色
✢ 味道	带有浓重的草根味
✢ 适合肤质	干性过敏性肤质
✢ 成份	γ-亚麻油酸（GLA）、必需脂肪酸（EFAs）
✢ 推荐产地	英国、美国
✢ 价位	昂贵
✢ 身体保健	用于皮肤按摩，可以改善女性经前征候群及痛经等症状，也可用于过敏性皮肤炎
✢ 注意事项	与精油混合后用于皮肤
✢ 速配心情	郁闷、感受到生活压力时使用

POINT
小妙方

1. 将月见草油与其他基底油混和，用于按摩下腹部及皮肤，可以缓和痛经，预防皮肤干燥。

2. 月见草油与洋甘菊精油混和，可以治疗荨麻疹及异位性皮肤炎。

3. 月见草油与桦木、姜精油混和，按摩关节，可以预防关节炎及关节僵硬。

4. 口服月见草油，可以改善经前症候群及湿疹。